GERHART HAUPTMANN

Hanneles Himmelfahrt

Traumdichtung in zwei Akten

IM INSEL-VERLAG

AN MARIE HAUPTMANN

geborne Thienemann

Die Kinder pflücken roten Klee, rupfen die Blüten-
krönchen behutsam aus und saugen an den blassen
feinen Schäften. Eine schwache Süßigkeit kommt
auf ihre Zungen. Wenn Du nur so viel Süße aus
meinem Gedicht ziehst, so will ich mich meiner
Gabe nicht schämen.

Schreiberhau 1893   Gerhart

DRAMATIS PERSONAE

HANNELE

GOTTWALD (LEHRER)

SCHWESTER MARTHA (DIAKONISSIN)

TULPE · HEDWIG · PLESCHKE · HANKE
(ARMENHÄUSLER)

SEIDEL (WALDARBEITER)

BERGER (AMTSVORSTEHER)

SCHMIDT (AMTSDIENER)

DR. WACHLER

Es erscheinen dem Hannele im Fiebertraum:
Der Maurer Mattern, ihr Vater. Eine Frauengestalt, ihre ver-
storbene Mutter. Ein großer schwarzer Engel. Drei lichte
Engel. Die Diakonissin. Gottwald und seine Schulkinder.
Die Armenhäusler Pleschke, Hanke und andere. Seidel. Vier
weißgekleidete Jünglinge. Ein Fremder. Viele kleine und
große lichte Engel. Leidtragende, Frauen usw.

ERSTER AKT

Ein Zimmer im Armenhause eines Gebirgsdorfes: Kahle Wände, eine Tür in der Mitte, ein kleines, gucklochartiges Fenster links. Vor dem Fenster ein wackliger Tisch mit Bank. Rechts eine Bettstelle mit Strohsack. An der Hinterwand ein Ofen mit Bank und eine zweite Bettstelle, ebenfalls mit einem Strohsack und einigen Lumpen darüber. – Es ist eine stürmische Dezembernacht. Am Tisch, beim Scheine eines Talglichtes, aus einem Gesangbuch singend, sitzt Tulpe, ein altes, zerlumptes Bettelweib.

TULPE *singt:*   Ach, bleib mit deiner Gnade
Bei uns, Herr Jesu Christ,
Daß uns hinfort nicht...

Hedwig, genannt Hete, eine liederliche Frauensperson von etwa dreißig Jahren, mit Ponylocken, tritt ein. Sie hat ein dickes Tuch um den Kopf und ein Bündel unterm Arm; sonst ist sie leicht und ärmlich gekleidet.

HETE *in die Hände blasend, ohne das Bündel unterm Arm wegzulegen.* Ei Jesses, Jesses, is das a Wetter! *Sie läßt das Bündel auf den Tisch gleiten, bläst sich fortgesetzt in die hohlen Hände und tritt abwechselnd mit einem ihrer zerrissenen Schuhe auf den andern.* Aso toll haben mersch schonn viele Jahre nich gehabt.

TULPE: Was bringstn mit?

HETE *fletscht die Zähne und wimmert im Schmerz, nimmt Platz auf der Ofenbank und müht sich, die Schuhe auszuziehen:* O jemersch – jemersch – meine Zehen! – Das brennt wie Feuer.

TULPE *hat das Bündel aufgeknotet; ein Brot, ein Päckchen Zichorie, ein*

9

Tütchen Kaffee, einige Paar Strümpfe usw. liegen offen: Da wird woll fer mich ooch a bissel was abfalln.

HETE, *die, mit dem Ausziehen der Schuhe beschäftigt, nicht auf Tulpe geachtet hat, stürzt nun wie ein Geier über die Gegenstände und rafft sie zusammen:* Tulpe! *Den einen Fuß nackt, den andern noch im Schuh, humpelt sie mit den Sachen nach dem Bett an der Hinterwand.* Ich wer'ne Meile loofen, gelt? Und wer mer die Knochen im Leibe erfrieren, damit Ihr und kennts Euch einsacken, gelt?

TULPE: O, halt deine Gusche, alte Schalaster! An dem bissel Gelumpe vergreif ich mich nich – *sie steht auf, klappt das Buch zu und wischt es sorgfältig an ihren Kleidern ab –*, was du dir da hast zusammengebettelt.

HETE *die Sachen unter den Strohsack packend:* Wer hat ock im Leben mehr gefochten, ich oder Ihr? Ihr habt doch im Leben nischt andersch getan, aso alt, wie Ihr seid. Das weeß doch a jedes.

TULPE: Du hast noch ganz andre Dinge getrieben. Der Herr Paster hat dir die Meenung gesagt. Wie ich a jung Mädel war wie du, ich hab freilich andersch uf mich gehalten.

HETE: Daderfier habt Ihr ooch im Zuchthause gesessen.

TULPE: Und du kannst neinkommen, wenn de sonst willst. Ich brauch bloß amal a Schandarm zu treffen. Dem wer ich amal a Talglicht uffstecken. Mach du dich bloß mausig, Mädel, ich sag dirsch!

HETE: Da schickt a Schandarm ock gleich mit zu mir, da wer ich 'n gleich was mit erzählen.

TULPE: Erzähl du meinswegen, was du willst.

HETE: Wer hat denn a Paleto gestohlen? Hä? Vom Gastwirt Richter sein' kleenen Jungen? *Tulpe tut, als ob sie nach Hete spucke.* Tulpe, verpucht! – nu gerade nich.

TULPE: Vor mir! Ich will von dir nischt Geschenktes.

HETE: Ja, weil Ihr nischt krigt.

Pleschke und Hanke sind von dem Sturm, welcher mit einem wütenden Stoß soeben wider das Haus fuhr, förmlich in den Flur hineingeworfen worden. Pleschke, ein alter, kropfhalsiger, halb kindischer Kerl in Lumpen, bricht darüber in lautes Lachen aus. Hanke, ein junger Liedrian und Nichtstuer, flucht. Beide schütteln, durch die offene Tür sichtbar, auf den Steinen des Flurs den Schnee von ihren Mützen und Kleidern. Jeder trägt ein Bündel.

PLESCHKE: O Hagel, o Hagel! Das schmeißt ja wie Teifel – die alte Kaluppe von Armenhaus, die wirds woll amal bei Gelegenheit, ja – bei Gelegenheit, ja, zusammenreißen.

Hete besinnt sich angesichts der beiden, holt die Sachen wiederum unter dem Strohsack hervor und läuft an den Männern vorüber hinaus und eine Treppe hinauf.

PLESCHKE *hinter Heten dreinsprechend:* Was laufstn du – laufstn du – fort? Mir – tun der nischt – tun der nischt. – Gelt, Hanke? – Gelt?

TULPE *am Ofen mit einem Kartoffeltopf beschäftigt:* Das Frauvolk is nich gescheit im Koppe. Die denkt, mir wern 'r 'ne Sache wegnehmen.

PLESCHKE *eintretend:* O, Jes, Jes! Ihr Leute! Nu da – da heerts auf. – Gu'nabend – Gu'nabend, ja. – Teifel, Teifel! – A Wetter is draußen – a Wetter is draußen! – Der Länge lang, ja – der Länge lang, ja – bin ich hingeschlagen – aso lang, wie ich bin.

Er ist mit geknickten Beinen bis zum Tische gehinkt. Hier legt er sein Bündel ab und wendet den wackligen Kopf mit den weißen Haaren und triefigen Augen zu Tulpe herum. Dabei schnappt er noch immer vor Anstrengung nach Luft, hustet und macht Bewegungen, um sich zu erwärmen. Indessen ist Hanke auch ins Zimmer gelangt. Einen Bettelsack hat er neben die Tür gestellt und sogleich begonnen, vor Frost bebend, trocknes Reisig in den Ofen zu stopfen.

TULPE: Wo kommstn her?

PLESCHKE: Ich? Ich? Wo ich herkomme? Gar – gar von weit her. 's Oberdorf hab ich – hab ich abgeloofen.

TULPE: Bringste was mit?

PLESCHKE: Ja, ja, scheene Sachen – scheene Sachen – hab ich. – Beim Kanter – kricht ich – kricht ich – 'n Finfer, ja – und oben beim Gastwirt – oben – beim Gastwirt – kricht ich – kricht ich 'n Topp voll, ja – 'n Topp voll – Topp voll Suppe kricht ich.

TULPE: Ich wer 'n glei ufsetzen. Gib amal her. *Sie zieht den Topf aus dem Bündel, setzt ihn auf den Tisch und wühlt weiter.*

PLESCHKE: A Ende – Wurscht, ja – is ooch – ooch dabei. Der Fleescher – der Seipelt-Fleescher – hat mirsch – hat mirsch gegeben.

TULPE: Wieviel bringstn Geld mitte?

PLESCHKE: Drei Beemen, ja – drei Beemen – sinds – gloob ich.

TULPE: Na gib ock her. Ich wer dersch ufheben.

HETE *wieder eintretend:* Ihr seid scheen tumm, daß Ihr alles weggebt. *Sie geht zum Ofen.*

TULPE: Bekimmer du dich um deine Sachen!

HANKE: A is doch der Breitgam.

HETE: O jemersch, jemersch!

HANKE: Da muß a doch ooch dr Braut was mitbringen. Das liegt halt eemal so in a Verhältnissen.

PLESCHKE: Du kannst zum Narren haben – kannst zum Narren haben – wen de willst, ja – wen de willst, ja. An' alten Mann – an' alten Mann – den laß du zufriede.

HETE *die Sprechweise des alten Pleschke nachäffend:* Der alte Pleschke – der alte Pleschke – der kann bald gar nich – gar nich mehr labern. Der wird bald – wird bald – gar gar gar gar gar kee Wort – Wort mehr raus rausbringen, ja.

PLESCHKE *mit seinem Stecken auf sie zugehend:* Jetzt zieh aber – Leine – zieh aber – Leine!

HETE: Vor wem denn, hä?

PLESCHKE: Jetzt zieh aber – Leine!

TULPE: Immer gib 'r a Ding.

PLESCHKE: Jetzt zieh aber – Leine!

HANKE: Laßt Ihr die Tummheet.

TULPE: Ihr gebt Ruhe! *Hete benutzt hinter dem Rücken Hankes den Moment, in welchem er, sie verteidigend, mit Pleschke zu tun hat, um ihm aus dem Bettelsack blitzschnell etwas herauszugreifen und damit fortzurennen. Tulpe, die es bemerkt hat, schüttelt sich vor Lachen.*

HANKE: Da gibts nischt zu lachen.

TULPE *immer lachend:* Nu, da, nu da, da soll eens nich lachen!

PLESCHKE: O Jeses, Jeses, sieh ock dernach.

TULPE: Sieh dr ock deine Sachen an. Kann sein, se sein was weniger geworn.

HANKE *wendet sich, merkt, daß er gefoppt ist:* Luder! *Er stürzt Hete nach.* Wenn ich dich kriege! *Man hört Trampeln, eine Treppe hinauf, Jagen, unterdrücktes Schreien.*

PLESCHKE: A Teifelsmädel! – A Teifelsmädel! *Er lacht in allen Tonarten. Tulpe will sich ebenfalls ausschütten vor Lachen. Plötzlich hört man die Haustür heftig gehen. Das Lachen beider bricht ab.*

Nu? Was is das?

Heftige Windstöße wuchten gegen das Haus. Körniger Schnee wird gegen das Fenster geworfen. Einen Moment Stille. Jetzt erscheint Lehrer Gottwald, ein schwarzbärtiger Zweiunddreißiger; auf dem Arm trägt er das etwa vierzehnjährige Hannele Mattern. Das Mädchen, dessen lange rote Haare offen über die Schulter des Lehrers herabhängen, wimmert fortwährend. Es hat sein Gesicht am Halse des Lehrers verborgen, seine Arme hängen schlaff und tot herab. Man hat es nur notdürftig bekleidet und in Tücher eingehüllt. Mit aller Sorgfalt läßt Gottwald, ohne sich irgendwie um die Anwesenden zu bekümmern, seine Last auf das Bett gleiten, das rechts an der Wand steht. Ein Mann, Waldarbeiter, namens Seidel, ist mit einer

Laterne ebenfalls eingetreten. Er trägt, neben Säge und Axt, ein Bündel nasser Lumpen und hat einen alten Jägerhut ziemlich verwogen auf den schon stark angegrauten Kopf gesetzt.

PLESCHKE *dumm und betroffen starrend:* He, he, he, he! – Was geht denn da vor? – Was geht denn da vor?

GOTTWALD *Decken und seinen eignen Mantel über das Mädchen breitend:* Steine heiß machen, Seidel, schnell!

SEIDEL: Attent, attent, a paar Ziegelsteine! Allo, allo! Immer macht, daß was wird!

TULPE: Was hats denn mit 'r?

SEIDEL: I, laßt das Gefrage. *Schnell ab mit Tulpe.*

GOTTWALD *beruhigend zu Hannele:* Laß gut sein, laß gut sein! Ängste dich nicht. Es geschieht dir nichts.

HANNELE *mit klappernden Zähnen:* Ich fürchte mich so! Ich fürchte mich so!

GOTTWALD: Du brauchst dich aber vor gar nichts zu fürchten Es wird dir ja niemand etwas tun.

HANNELE: Der Vater, der Vater...

GOTTWALD: Der ist ja nicht hier.

HANNELE: Ich fürcht mich so, wenn der Vater kommt.

GOTTWALD: Er kommt aber nicht. So glaub mir doch nur.

Jemand kommt in höchster Schnelligkeit die Treppe herunter.

HETE *hält ein Reibeisen in die Höhe:* Nu seht bloß: aso was krigt Hanke geschenkt.

HANKE *ist hinter ihr drein gejagt, erreicht sie, will ihr das Reibeisen entwinden, sie aber wirft es mit einer schnellen Bewegung von sich mitten ins Zimmer hinein.*

HANNELE *schreckhaft auffahrend:* Er kommt! Er kommt!

Halb aufgerichtet, starrt sie, den Kopf vorgestreckt, mit dem Ausdruck höchster Angst in dem blassen, kranken, gramverzehrten Gesichtchen in der

14

Richtung der Geräusche. Hete hat sich dem Hanke entwunden und ist fort
in das Hinterzimmer. Hanke tritt ein, um das Reibeisen aufzuheben.

HANKE: Ich wer dirsch anstreichen. Dare du!

GOTTWALD *zu Hannele:* Du kannst ruhig sein, Hannele.

Zu Hanke: Was wollen Sie denn?

HANKE *erstaunt:* Ich? Was ich will?

HETE *steckt den Kopf herein, ruft:* Langfinger! Langfinger!

HANKE *drohend:* Sei du ganz geruhig, dir zahl ichs heem.

GOTTWALD: Ich bitte um Ruhe! Hier liegt 'n Krankes.

HANKE *hat das Reibeisen aufgehoben und zu sich gesteckt; ein wenig ver-*
schüchtert zurücktretend: Was ist denn da los?

SEIDEL *kommt wieder; er bringt zwei Ziegelsteine:* Hier bring ich einst-
weilen.

GOTTWALD *faßt die Steine prüfend an:* Schon genug?

SEIDEL: A bissel wärmts schonn. *Er bringt einen der Steine an den Füßen*
des Mädchens unter.

GOTTWALD *bedeutet eine andere Stelle:* Den andern hierher.

SEIDEL: Se hat sich eemal noch nicht erwärmt.

GOTTWALD: Es beutelt sie förmlich.

Tulpe ist hinter Seidel hergekommen. Ihr sind Hete und Pleschke gefolgt.
An der Tür werden einige andere Armenhäusler, fragwürdige Gestalten,
sichtbar. Alle sind voll Neugier, flüstern, werden allmählich lauter und be-
wegen sich näher heran.

TULPE, *zunächst dem Bette stehend, die Hände in die Seite gestemmt:*
Heeß Wasser und Branntwein, wenns was da hat.

SEIDEL *zieht eine Schnapsflasche, ebenso Pleschke und Hanke:*
Hier is noch a Neegel.

TULPE *schon am Ofen:* Her damitte.

SEIDEL: Is heeß Wasser?

TULPE: O Jes, da kann man 'n Ochsen verbriehn.

GOTTWALD: Und bißchen Zucker reintun, wenns gibt.

HETE: Wo sollen mir ock a Zucker herhaben?

TULPE: Du hast ja welchen. Red ni so tumm.

HETE: Ich? Zucker? Nee. *Sie lacht gezwungen.*

Tulpe: Du hast doch welchen mittegebracht. Ich habs doch gesehn, im Tiechel, vorhin. Da lieg ock nich erscht.

SEIDEL: Na mach. Bring her.

HANKE: Nu lauf, Hete, lauf!

SEIDEL: Du siehst doch, wie's mit dem Mädel steht.

HETE *verstockt:* O, vor mir.

PLESCHKE: Sollst Zucker holen.

HETE: Beim Kaufmann hats 'n. *Sie drückt sich hinaus.*

SEIDEL: Nu haste Zeit, daß de Beene machst, sonst setzts a paar Dinger hinter die Lauscher. Kann sein, du hättst damitte genug. – Nach mehr sähst du dich gewiß nich um.

PLESCHKE *war einen Moment hinausgegangen, kommt wieder:* Aso is das Mädel – so is das Mädel.

SEIDEL: Der wollt ich woll ihre Mucken austreiben. Wenn ich und wär wie der Ortsvorsteher, ich nehm mir a tichtgen weidnen Knippel, und, haste gesehn, die wer schonn arbeiten. A Mädel wie die –, die is jung und stark. Was braucht die im Armenhause zu liegen!

PLESCHKE: Hier hab ich – noch a klee Brickel – Brickel – a klee Brickel Zucker – hab ich noch – hier noch, ja – gefunden.

HANKE *schnüffelnd in den Grogduft:* Da wär ich ooch gerne genug amal krank.

AMTSDIENER SCHMIDT *mit einer Laterne, tritt ein. Eindringlich und vertraulich:* Macht Platz, der Herr Amtsvorsteher kommt.

Amtsvorsteher Berger tritt ein. Hauptmann der Reserve, wie nicht zu verkennen. Schnurrbärtchen. Noch jugendliches, gutes Gesicht, schon stark angegrautes Haar. Langen Überrock, Anflug von Eleganz. Stock. Der Kramp-

hut ebenfalls schief und keck aufgesetzt. Etwas Burschikoses liegt in seinem Wesen.

DIE ARMENHÄUSLER: Gu'nabend, Herr Amtsvorsteher! Gu'n-abend, Herr Hauptmann!

BERGER: 'nabend! *Er legt Hut, Stock und Mantel ab. Mit einer bezeichnenden Gebärde: Nu mal rrraus hier! Schmidt befördert die Armenhäusler hinaus und drängt sie ins Hinterzimmer.* Gu'nabend, Herr Gottwald. *Reicht ihm die Hand.* Nu, wie stehts hier?

GOTTWALD: Wir haben sie halt aus dem Wasser gezogen.

SEIDEL *tritt vor:* Sie werden entschuldigen, Herr Amtsvorsteher. *Er schlägt dabei in alter militärischer Gewohnheit grüßend mit der Hand an die Stirn.* Ich hatte noch was in der Schmiede zu tun. Ich wollt mer a Band um de Axt lassen machen. Und wie ich nu raustrete aus der Schmiede – da is doch unten an der Jeuchner Schmiede –, da is doch a Teich. Man mechte bald sprechen, a halber See. *Zu Gottwald:* Na ja, 's is wahr. A is bald aso groß. – Und wie Se vielleicht wern wissen, Herr Vorsteher, da hats ane Stelle, die de nicht zufriert. Und nie und nimmer friert Ihn die nich zu. Ich war noch a ganz kleener Junge…

BERGER: Na und? Was war da?

SEIDEL *wieder mit der Hand an die Stirn schlagend:* Nu wie ich also und tret aus der Schmiede – der Mond kam grade a bissel durch –, da heer ich Ihn halt aso a Gewimmer. Erscht denk ich, 's macht der bloß was vor. Da seh ich aber ooch schonn, daß jemand uffn Teiche is. Und immer zu uff de offne Stelle. Ich schrei – da is a ooch schon verschwunden. Na ich, kenn Se denken, ich in de Schmiede, a Brett genomm, erscht gar nischt gesagt und rum um a Teich. 's Brett aufs Eis. Ich eens, zwee, drei – und da hatt ich se doch ooch schonn beim Wickel.

BERGER: Das laß ich mir doch mal gefallen, Seidel. Sonst hört man bloß immer von Keilereien, Köpfe blutig schlagen, Beine gebrochen. Das is doch wenigstens mal was anders. Da habt Ihr sie gleich hierher gebracht?

SEIDEL: Der Herr Lehrer Gottwald...

GOTTWALD: Zufälligerweise ging ich vorüber. Ich kam aus der Lehrerkonferenz. Da hab ich sie erst mal zu mir genommen. Meine Frau hat schnell was zusammengesucht, damit sie nur trocken am Leibe wurde.

BERGER: Wie hängt denn nun die Geschichte zusammen?

SEIDEL *zögernd:* Na, 's is halt vom Mattern-Mäurer die Stieftochter.

BERGER *einen Moment lang betreten:* Von wem? Der Lump der!

SEIDEL: De Mutter is vor sechs Wochen gestorben. Das übrige weeß man ja von alleene. Die hat Ihn gekratzt und um sich geschlagn, bloß weil se dachte, ich wär der Vater.

BERGER *murmelt:* So 'n Wicht!

SEIDEL: Nu sitzt a doch wieder im Niederkretscham und sauft seit gestern in eenem Biegen. Der schenkt 'n doch ein aso viel, wie a will.

BERGER: Das wolln wir dem Kerl doch mal eklig versalzen. *Er beugt sich über das Bett, um Hannele anzureden.* Du, Mädel, sag mal! Du wimmerst ja so. Du brauchst mich gar nicht so furchtsam ansehn. Ich tu dir nichts. Wie heißt du denn? – Was sagst du? Ich hab dich nicht verstanden. *Er richtet sich auf.* Ich glaube, das Mädel ist etwas störrisch.

GOTTWALD: Sie ist nur verängstet. – Hannele!

HANNELE *haucht:* Ja.

GOTTWALD: Du mußt dem Herrn Amtsvorsteher antworten.

HANNELE *zitternd:* Lieber Gott, mich friert.

SEIDEL *kommt mit dem Grog:* Komm, trink amal, hier!

HANNELE *wie vorher:* Lieber Gott, mich hungert.

GOTTWALD *zum Amtsvorsteher:* Und wenn mans ihr vorhält, will sie nicht essen.

HANNELE: Lieber Gott, mir tut es so bitter weh.

GOTTWALD: Wo tut dirs denn weh?

HANNELE: Ich hab solche Furcht.

BERGER: Wer tut dir denn was? Wer? Nur raus mit der Sprache. – Ich versteh keine Silbe, liebes Kind. Das kann mir nichts helfen. – Hör mal auf mich, Mädel! Hat dich dein Stiefvater schlecht behandelt? – Geschlagen, mein ich? – Eingesperrt? Aus dem Hause geworfen, so was, wie? – Du lieber Gott, ja…

SEIDEL: Das Mädel ist schweigsam. Das soll schonn schlimm kommen, eh die ein Wort sagt. Die is, mecht man sprechen, stumm wie ein Lamm.

BERGER: Ich möchte nur was Bestimmtes wissen. Vielleicht kann ich doch den Kerl nun mal fassen.

GOTTWALD: Sie hat unsinnige Angst vor dem Menschen.

SEIDEL: Das is doch nischt Neues mehr mit dem Kerle. Das weeß, mecht ma sprechen, das weeß doch a jeds. Da kenn Se doch fragen, wen Se wollen. Mich wundert bloß, daß das Mädel noch lebt. Man sollte denken, 's wär gar nicht meeglich.

BERGER: Was hat er denn mit ihr angestellt?

SEIDEL: Nu, halt – aso allerhand, mecht man sprechen. Um neune abends jagt 'r se naus – und wenns so a Wetter war wie heute –, da sollt se an' Finfbeemer mit nach Hause bringen. – Na, was denn sonste, halt zum Versaufen. Wo soll Ihn das Mädel an' Finfbeemer hernehmen? Da blieb se halt halbe Nächte im Freien. – Denn wenn se kam und brachte keen Geld – de Leute sind Ihn zusammgeloofen, so hat se geschrien, geprillt, mecht man sprechen.

GOTTWALD: An der Mutter hatte sie noch 'n Rückhalt.

BERGER: Ich werde den Kerl jedenfalls gleich einstecken. Er

steht ja schon längst auf der Säuferliste. Nu komm mal, Mädel, sieh mich mal an.

HANNELE *flehentlich:* Ach bitte, bitte, bitte, bitte!

SEIDEL: Aus der wern Se woll aso leichte nischt rauskriegen.

GOTTWALD *mild:* Hannele!

HANNELE: Ja.

GOTTWALD: Kennst du mich?

HANNELE: Ja.

GOTTWALD: Wer bin ich denn?

HANNELE: Der – Herr Lehrer – Gottwald.

GOTTWALD: Schön. Na siehst du. Ich mein es doch immer gut mit dir. Nu kannst du mir auch mal gleich erzählen... Du warst doch unten am Schmiedeteich ... Weshalb bist du denn nicht zu Hause geblieben? Nu? Warum nicht?

HANNELE: Ich fürchte mich so.

BERGER: Wir werden uns ganz beiseite stellen. Sags nur dem Herrn Schullehrer ganz allein.

HANNELE *scheu und geheimnisvoll:* Es hat gerufen.

GOTTWALD: Wer hat gerufen?

HANNELE: Der liebe Herr Jesus.

GOTTWALD: Wo – hat dich der liebe Herr Jesus gerufen?

HANNELE: Im Wasser.

GOTTWALD: Wo?

HANNELE: Na unten – im Wasser.

BERGER *zieht sich, seinen Entschluß ändernd, den Überrock an:* Hier muß vor allen Dingen der Doktor her. Ich denke, er wird noch im ›Schwerte‹ sitzen.

GOTTWALD: Ich hatte auch gleich zu den Schwestern geschickt. Das Kind muß unbedingt Pflege erhalten.

BERGER: Ich gehe und sage dem Doktor Bescheid. *Zu Schmidt:* Sie bringen mir mal den Wachtmeister ran. Ich warte im

›Schwert‹. Gutnacht, Herr Gottwald. Wir wollen den Kerl gleich heute noch aufheben. *Ab mit Schmidt. Hannele schläft ein.*

SEIDEL *nach einer Pause:* A wird sich hitten und wird den einsperren.

GOTTWALD: Warum denn nicht?

SEIDEL: Der weeß schonn, warum. Wer hat denn das Kind in die Welt gesetzt?

GOTTWALD: Ach, Seidel, das ist ja bloßes Gerede.

SEIDEL: Na wissen Se, der Mann hat Ihn gelebt!

GOTTWALD: Was lügen die Leute nicht alles zusammen! Da kann man doch nich mal die Hälfte glauben. – Wenn nur der Doktor bald kommen wollte!

SEIDEL *leise:* Ich gloobe, das Mädel steht nich mehr uff. *Dr. Wachler tritt ein, ein etwa vierunddreißigjähriger, ernster Mann.*

DR. WACHLER: Gut'nabend.

GOTTWALD: Gut'nabend.

SEIDEL *beim Pelzausziehen behilflich:* Gu'nabend, Herr Doktor!

DR. WACHLER *wärmt am Ofen seine Hände:* Noch ein Licht möcht ich haben. *Im Hinterzimmer wird ein Leierkasten gedreht.* Die scheinen da drüben verrückt zu sein.

SEIDEL *schon an der geöffneten Tür des Hinterzimmers:* Ihr sollt euch a bissel ruhig verhalten. *Der Lärm schweigt, Seidel verschwindet im Hinterzimmer.*

DR. WACHLER: Herr Gottwald, nicht wahr?

GOTTWALD: Ich heiße Gottwald.

DR. WACHLER: Sie hat sich ertränken wollen, hör ich.

GOTTWALD: Sie hat sich wohl keinen Rat mehr gewußt.

Kleine Pause.

DR. WACHLER *ans Bett tretend, beobachtend:* Sie spricht wohl im Schlaf?

HANNELE: Millionen Sternchen. *Dr. Wachler und Gottwald beobachten.*

Mondschein fällt durchs Fenster und beleuchtet die Gruppe. Was ziehst du an meinen Knochen? Au, au! Es tut mir in der Seele weh.

DR. WACHLER *lockert ihr vorsichtig das Hemd am Halse:* Der ganze Leib scheint mit Striemen bedeckt.

SEIDEL: So lag Ihn die Mutter ooch im Sarge.

DR. WACHLER: Erbärmlich! Erbärmlich!

HANNELE *mit verändertem, störrischem Ton:* Ich mag nicht. Ich mag nicht. Ich geh nicht zu Hause. Ich muß – zu der Frau Holle – in den Brunnen gehn. Laß mich doch – Vater. Pfui, wie das stinkt! Du hast wieder Branntwein getrunken. – Horch, wie der Wald rauscht! – Heute morgen hat ein Windbaum auf den Bergen gelegen. Wenn nur kein Feuer ausbricht! – Wenn der Schneider keinen Stein in der Tasche und kein Bügeleisen in der Hand hat, fegt ihn der Sturm über alle Berge. Horch, es stürmt!

Die Diakonissin, Schwester Martha, kommt.

GOTTWALD: Guten Abend, Schwester.

SCHWESTER MARTHA *nickt. Gottwald tritt zur Diakonissin, die alles zur Pflege bereit macht, und spricht mit ihr im Hintergrund.*

HANNELE: Wo ist meine Mutter? Im Himmel? Aach, aach, so weit! *Sie schlägt die Augen auf, blickt fremd um sich, fährt mit der Hand über die Augen und spricht, kaum hörbar.* Wo – bin ich – denn?

DR. WACHLER *über sie gebeugt:* Bei guten Menschen.

HANNELE: Mich dürstet.

DR. WACHLER: Wasser! *Seidel, der ein zweites Licht gebracht hat, geht, Wasser zu holen.* Hast du irgendwo Schmerzen?

HANNELE *schüttelt den Kopf.*

DR. WACHLER: Nicht? Na sieh mal an; da ist es ja gar nicht so schlimm mit uns.

HANNELE: Sind Sie der Doktor?

DR. WACHLER: Gewiß.

HANNELE: Da bin ich – wohl krank?

DR. WACHLER: Ein bißchen, nicht sehr.

HANNELE: Wollen Sie mich gesund machen?

DR. WACHLER *schnell untersuchend:* Tut es hier weh? Da? Schmerzt es hier? Hier? Hier? – Du brauchst mich gar nicht so ängstlich ansehn, ich tu dir nicht weh. Wie ist es hier? Hast du Schmerzen hier?

GOTTWALD *tritt wieder ans Bett:* Antworte dem Herrn Doktor, Hannele!

HANNELE *mit inniger, bittender, in Tränen zitternder Stimme:* Ach, lieber Herr Gottwald.

GOTTWALD: Jetzt paß nur auf, was der Doktor sagt, und antworte schön.

HANNELE *schüttelt den Kopf.*

GOTTWALD: Warum denn nicht?

HANNELE: Weil – weil –, ich möchte so gern zu Muttern.

GOTTWALD *streicht ergriffen über ihr Haar:* Na laß das nur gut sein.

Kleine Pause.

Der Doktor richtet sich auf, holt Atem und ist einen Moment lang nachdenklich. Die Schwester Martha hat das zweite Licht vom Tisch genommen und leuchtet damit.

DR. WACHLER *winkt Schwester Martha:* Ach bitte, Schwester!

Er tritt mit ihr an den Tisch und gibt ihr mit leiser Stimme Verhaltungsmaßregeln. Gottwald nimmt nun seinen Hut und steht abwartend, Blicke bald auf Hannele, bald auf den Doktor und die Diakonissin werfend. Dr. Wachler, das leise Gespräch mit der Schwester abschließend: Ich werde wohl noch mal wiederkommen. – Die Medikamente schicke ich übrigens.

Zu Gottwald: Er soll arretiert sein, im Gasthaus zum ›Schwert‹.

SCHWESTER MARTHA: So hat man mir wenigstens eben gesagt.

23

DR. WACHLER *zieht seinen Pelz über. Zu Seidel:* Sie kommen wohl
mit zur Apotheke!

*Der Doktor, Gottwald und Seidel begrüßen die Schwester Martha im
Abgehen leise.*

GOTTWALD *angelegentlich:* Wie denken Sie über den Zustand, Herr
Doktor? *Alle drei ab. Die Diakonissin ist nun bei Hannele allein. Sie
gießt Milch in ein Töpfchen. Währenddessen öffnet Hannele die Augen
und beobachtet sie.*

HANNELE: Kommst du vom Herr Jesus?

SCHWESTER MARTHA: Was sagtest du?

HANNELE: Ob du vom Herr Jesus kommst?

SCHWESTER MARTHA: Kennst du mich denn nicht mehr, Hannele? Ich bin doch die Schwester Martha, nicht wahr? Du
warst doch bei uns, weißt du nicht mehr? Wir haben mitein-
ander gebetet und schöne Lieder gesungen. Nicht wahr?

HANNELE *nickt freudig:* Ach, schöne Lieder!

SCHWESTER MARTHA: Nun will ich dich pflegen in Gottes Namen, bis du wieder gesund wirst.

HANNELE: Ich mag nicht gesund werden.

SCHWESTER MARTHA *mit einem Milchtöpfchen bei ihr:* Der Doktor
sagt, du sollst etwas Milch nehmen, damit du wieder zu Kräften
kommst.

HANNELE *weigert sich:* Ich mag nicht gesund werden.

SCHWESTER MARTHA: Du magst nicht gesund werden? Nun
überleg dirs nur erst ein Weilchen. Komm, komm, ich will
dir die Haare aufbinden. *Sie tut es.*

HANNELE *weint leise:* Ich will nicht gesund werden.

SCHWESTER MARTHA: Warum denn nur nicht?

HANNELE: Ich möchte so gern – ich möchte so gern – in den
Himmel kommen.

SCHWESTER MARTHA: Das steht nicht in unsrer Macht, gutes

Kind. Da müssen wir warten, bis Gott uns abruft. Aber wenn
du deine Sünden bereust...

HANNELE *eifrig:* Ach, Schwester, ich bereue so sehr.

SCHWESTER MARTHA: Und an den Herrn Jesus Christus glaubst...

HANNELE: Ich glaube an meinen Heiland so fest.

SCHWESTER MARTHA: Dann kannst du getrost und ruhig zu-
warten. – Ich rück dir jetzt deine Kissen zurecht, und du
schläfst ein.

HANNELE: Ich kann nicht schlafen.

SCHWESTER MARTHA: Versuch es nur.

HANNELE: Schwester Martha!

SCHWESTER MARTHA: Nun?

HANNELE: Schwester Martha, gibt es Sünden – gibt es Sünden,
die nicht vergeben werden?

SCHWESTER MARTHA: Jetzt schlafe nur, Hannele! Reg dich nicht
auf!

HANNELE: Ach, sagen Sie mirs bitte, bitte recht schön.

SCHWESTER MARTHA: Es gibt solche Sünden. Allerdings. Die
Sünden wider den Heiligen Geist.

HANNELE: Wenn ich nun eine begangen habe...

SCHWESTER MARTHA: Ach wo! Das sind nur ganz schlimme
Menschen. Wie Judas, der den Herrn Jesus verriet.

HANNELE: Es kann doch aber – es kann doch sein.

SCHWESTER MARTHA: Du mußt jetzt schlafen.

HANNELE: Ich ängst mich so.

SCHWESTER MARTHA: Das brauchst du durchaus nicht.

HANNELE: Wenn ich so eine Sünde begangen habe!

SCHWESTER MARTHA: Du hast keine solche Sünde begangen.

HANNELE *klammert sich an die Schwester und starrt ins Dunkle:*
Ach, Schwester, Schwester!

SCHWESTER MARTHA: Sei du ganz ruhig.

HANNELE: Schwester!

SCHWESTER MARTHA: Was denn?

HANNELE: Er wird gleich reinkommen. Hörst du nicht?

SCHWESTER MARTHA: Ich höre gar nichts.

HANNELE: Es ist seine Stimme. Draußen. Horch!

SCHWESTER MARTHA: Wen meinst du denn nur?

HANNELE: Der Vater, der Vater, – dort steht er.

SCHWESTER MARTHA: Wo denn?

HANNELE: Sieh doch.

SCHWESTER MARTHA: Wo?

HANNELE: Unten am Bett.

SCHWESTER MARTHA: Hier hängt ein Mantel und hier ein Hut. Wir wollen das garstige Zeug mal wegnehmen – und rüber zum Vater Pleschke tragen. Ich bringe mir gleich etwas Wasser mit und mache dir einen kalten Umschlag. Willst du ein Augenblickchen allein bleiben? Aber ganz, ganz ruhig und stille liegen!

HANNELE: Ach, bin ich dumm. Es war bloß ein Mantel, gelt, und ein Hut?

SCHWESTER MARTHA: Aber ganz, ganz still, ich komme gleich wieder. *Sie geht, muß aber umkehren, da es im Hausflur stockfinster ist.* Ich stelle das Licht hier heraus auf den Flur. *Noch einmal liebevoll mit dem Finger drohend:* Und ganz, ganz ruhig. *Ab.*

Es ist fast ganz dunkel. Sogleich erscheint am Fußende von Hanneles Bett die Gestalt des Maurers Mattern. Ein versoffenes, wüstes Gesicht, rote, struppige Haare, worauf eine abgetragene Militärmütze ohne Schild sitzt. Sein Maurerhandwerkszeug trägt er in der Linken. Er hat einen Riemen um die rechte Hand geschlungen und verharrt die ganze Zeit über in einer Spannung, wie wenn er im nächsten Augenblick auf Hannele losschlagen wollte. Von der Erscheinung geht ein fahles Licht aus, welches den Umkreis um Hanneles Bett erhellt.

HANNELE *bedeckt erschrocken ihre Augen mit den Händen, stöhnt, windet sich und stößt leise wimmernde Laute aus.*

DIE ERSCHEINUNG, *heisere, in höchster Wut gepreßte Stimme:* Wo bleibst du? Wo bist du gewesen, Mädel? Was hast du gemacht? Ich wer dich lehren. Ich wer dirsch beweisen, paß amal uff. Was hast du zu a Leuten gesagt? Hab ich dich geschlagen und schlecht behandelt? Hä? Ist das wahr, du bist ni mei Kind. Mach, daß du uffstehst! Du gehst mich nischt an. Ich kennte dich uff die Gasse schmeißen. – Steh uff und mach Feuer! Wirds bald werden? Aus Gnade und Barmherzigkeit bist du im Hause. Gelt, nu noch faulenzen obendruff. Nu? Wirds nu werden? Ich schlag dich so lange, biste, biste...

HANNELE *ist mühsam und mit geschlossenen Augen aufgestanden, hat sich zum Ofen geschleppt, das Türchen geöffnet und bricht nun ohnmächtig zusammen.*

In diesem Augenblick kommt Schwester Martha mit Licht und einem Krug Wasser, und die Mattern-Halluzination verschwindet. Sie stutzt, gewahrt Hannele in der Asche liegen, erschrickt, stößt einen Ruf aus: Herr Jesus!, *stellt das Licht und den Krug weg, läuft zu Hannele und hebt sie vom Boden auf. Der Ruf lockt die übrigen Armenhausbewohner heran.*

SCHWESTER MARTHA: Ich habe nur müssen Wasser holen, da ist sie mir aus dem Bett gestiegen. Ich bitte Sie, Hedwig, helfen Sie mir!

HANKE: Nu, Hete, da kannste dich in Obacht nehmen, sonst brichste der alle Knochen im Leibe.

PLESCHKE: Ich gloobe – dem Mädel – ich gloobe, dem Mädel – dem hats eens – hats eens angetan, Schwester!

TULPE: Kann sein – das Mädel – is gar verhext.

HANKE *laut:* Das geht hier zu Ende, aso viel sag ich.

SCHWESTER MARTHA *hat mit Hilfe Hedwigs Hannele wieder aufs Bett gelegt:* Sie haben vielleicht ganz recht, lieber Mann, aber bitte, nicht wahr, Sie sehen das ein: wir dürfen die Kranke nicht länger aufregen!

HANKE: Aso viel machen wir gar nich her.

PLESCHKE *zu Hanke:* A Laps bist du – a Laps bist du – a Laps, daß ds weeßt, ja – und weiter – weiter nischt. A Krankes – a Krankes – das weeß ja a Kind – a Krankes muß seine Ruhe haben.

HETE *macht ihm nach:* A Krankes – a Krankes ...

SCHWESTER MARTHA: Ich möchte recht dringend bitten, recht herzlich ...

TULPE: Die Schwester hat recht, macht ihr, daß ihr nauskommt.

HANKE: Wir gehn schonn alleene, wenn mer Lust hann.

HETE: Mir solln woll im Hiehnerstalle schlafen?

PLESCHKE: Fer dich wird Platz sein – fer dich is Platz, ja – du weeßt, wo de bleibst. *Die Armenhäusler alle ab.*

HANNELE *öffnet die Augen, ängstlich:* Ist – ist er fort?

SCHWESTER MARTHA: Die Leute sind fort. Du hast dich doch nicht erschrocken, Hannele?

HANNELE *immer in Angst:* Ist Vater fort?

SCHWESTER MARTHA: Er war ja nicht hier.

HANNELE: Ja, Schwester, ja!

SCHWESTER MARTHA: Das wirst du geträumt haben.

HANNELE *mit tiefem Seufzer von innen betend:* Ach lieber Herr Jesus! Ach lieber Herr Jesus! Ach schönstes, bestes Herr Jesulein! So nimm mich doch zu dir, so nimm mich doch zu dir!

Verändert: Ach, wenn er doch käm,
                Ach, daß er mich nähm
                Und daß ich den Leuten
                Aus den Augen käm.

Ich weiß es ganz gewiß, Schwester ...

SCHWESTER MARTHA: Was weißt du denn?

HANNELE: Er hat mirs versprochen. Ich komm in den Himmel,
er hat mirs versprochen.

SCHWESTER MARTHA: Hm.

HANNELE: Weißt du, wer?

SCHWESTER MARTHA: Nun?

HANNELE *geheimnisvoll ins Ohr der Schwester:* Der liebe Herr –
Gottwald.

SCHWESTER MARTHA: Jetzt schlaf aber, Hannele, weißt du was?

HANNELE: Schwester, gelt? Der Herr Lehrer Gottwald ist ein
schöner Mann. Heinrich heißt er. Gelt? Heinrich ist ein schöner Name, gelt? *Innig:* Du lieber, süßer Heinrich! Schwester,
weißt du was? Wir machen zusammen Hochzeit. Ja, ja, wir
beide: der Herr Lehrer Gottwald und ich.

> Und als sie nun verlobet warn,
> Da gingen sie zusammen
> In ein schneeweißes Federbett
> In einer dunklen Kammer.

Er hat einen schönen Backenbart. *Verzückt:* Auf seinem Kopfe
wächst blühender Klee! – Horch, – er ruft mich. Hörst du nicht?

SCHWESTER MARTHA: Schlaf, Hannele, schlaf, es ruft niemand.

HANNELE: Das war der Herr – Jesus. – Horch! Horch! Jetzt ruft
er mich wieder: Hannele! – *ganz laut:* Hannele! – ganz, ganz
deutlich. Komm, geh mit mir.

SCHWESTER MARTHA: Wenn Gott mich abruft, werd ich bereit
sein.

HANNELE, *nun wieder vom Mond beschienen, reckt den Kopf, wie wenn sie
süße Gerüche einsöge:* Spürst du nichts, Schwester?

SCHWESTER MARTHA: Hannele, nein.

HANNELE: Den Fliederduft? *In immer gesteigerter, seliger Ekstase:* So
hör doch! So hör doch! Was das bloß ist? *Es wird wie aus weiter Ferne eine süße Stimme hörbar.* Sind das die Engel? Hörst du denn nicht?

SCHWESTER MARTHA: Gewiß, ich hörs, aber weißt du was, du mußt dich nun still auf die Seite legen und ruhig schlafen bis morgen früh.

HANNELE: Kannst du das auch singen?

SCHWESTER MARTHA: Was denn, Kindchen?

HANNELE: Schlaf, Kindchen, schlaf!

SCHWESTER MARTHA: Willst du es gern hören?

HANNELE *legt sich zurück und streichelt die Hand der Schwester:* Mutterchen, sing mirs! Mutterchen, sing mirs!

SCHWESTER MARTHA *löscht das Licht aus, beugt sich über das Bett und spricht mit leichter Andeutung der Melodie, während die ferne Musik forttönt:* Schlaf, Kindchen, schlaf!
Im Garten geht ein Schaf.

Nun singt sie, und es wird ganz dunkel:
Im Garten geht ein Lämmelein
Auf dem grünen Dämmelein,
Schlaf, Kindchen, schlaf!

Ein Dämmerlicht erfüllt nun das ärmliche Gemach. Auf der Bettkante, nach vorn gebeugt, sich mit den bloßen, mageren Armen stützend, sitzt eine blasse geisterhafte Frauengestalt. Sie ist barfuß; das weiße Haar hängt offen und lang an den Schläfen herab und fällt bis auf die Bettdecke. Das Gesicht ist abgehärmt, ausgemergelt; die in tiefe Höhlen gesunkenen Augen scheinen, obgleich fest geschlossen, auf das schlafende Hannele gerichtet. Ihre Stimme ist wie die einer Schlafwachenden, monoton. Bevor sie ein Wort hervorbringt, bewegt sie, gleichsam vorbereitend, die Lippen. Mit einiger Anstrengung scheint sie die Laute aus der Tiefe ihrer Brust hervorzuholen. Vor der Zeit gealtert, hohlwangig, abgemagert und aufs dürftigste gekleidet.

FRAUENGESTALT: Hannele!

HANNELE *ebenfalls mit geschlossenen Augen:* Mutterchen, liebes Mutterchen, bist du's?

FRAUENGESTALT: Ja, ich habe die Füße unseres lieben Heilands mit meinen Tränen gewaschen und mit meinem Haupthaar getrocknet.

HANNELE: Bringst du mir gute Botschaft?

FRAUENGESTALT: Ja.

HANNELE: Kommst du von weit her?

FRAUENGESTALT: Hunderttausend Meilen weit durch die Nacht.

HANNELE: Mutter, wie siehst du aus?

FRAUENGESTALT: Wie die Kinder der Welt.

HANNELE: In deinem Gaumen wachsen Maiglöckchen. Deine Stimme tönt.

FRAUENGESTALT: Es ist kein reiner Klang.

HANNELE: Mutter, liebe Mutter, wie glänzest du doch in deiner Schöne!

FRAUENGESTALT: Die Engel im Himmel sind vielhundertmal schöner.

HANNELE: Warum bist du nicht auch so schön?

FRAUENGESTALT: Ich litt Pein um dich.

HANNELE: Mutterchen, bleibe bei mir!

FRAUENGESTALT *erhebt sich:* Ich muß fort.

HANNELE: Ist es schön, wo du bist?

FRAUENGESTALT: Weite, weite Auen, bewahrt vor dem Winde, geborgen vor Sturm und Hagelwettern in Gottes Hut.

HANNELE: Ruhst du aus, wenn du müde bist?

FRAUENGESTALT: Ja.

HANNELE: Hast du Speise zu essen, wenns dich hungert?

FRAUENGESTALT: Ich stille meinen Hunger mit Früchten und Fleisch. Mich dürstet, und ich trinke goldnen Wein.
Sie weicht zurück.

HANNELE: Gehst du fort, Mutter?

FRAUENGESTALT: Gott ruft.

HANNELE: Ruft Gott laut?

FRAUENGESTALT: Gott ruft laut nach mir.

HANNELE: Das ganze Herz ist mir verbrannt, Mutter!

FRAUENGESTALT: Gott wird es mit Rosen und Lilien kühlen.

HANNELE: Wird Gott mich erlösen?

FRAUENGESTALT: Kennst du die Blume, die ich in der Hand hab?

HANNELE: Himmelschlüssel.

FRAUENGESTALT *legt sie in Hanneles Hand:* Du sollst sie behalten, als Gottes Pfand, lebe wohl!

HANNELE: Mutterchen, bleibe bei mir!

FRAUENGESTALT *weicht zurück:* Über ein kleines wirst du mich nicht sehen, und aber über ein kleines, so wirst du mich sehn.

HANNELE: Ich fürchte mich.

FRAUENGESTALT *weicht weiter zurück:* Wie dem weißen Schneestaub auf den Bergen vom Winde geschieht, so wird Gott deine Quäler verfolgen.

HANNELE: Geh nicht fort!

FRAUENGESTALT: Des Himmels Kinder sind wie die blauen Blitze der Nacht. – Schlafe!

Es wird nun wiederum allmählich dunkel. Dabei hört man, von lieblichen Knabenstimmen gesungen, die zweite Strophe des Liedes ›Schlaf, Kindchen, schlaf‹. Schlaf, Kindchen, feste,
Es kommen fremde Gäste.

Jetzt erfüllt mit einem Schlage ein goldgrüner Schein das Gemach. Man sieht drei lichte Engelsgestalten, schöne, geflügelte Jünglinge mit Rosenkränzen auf den Köpfen, welche den Schluß des Liedes von Notenblättern, die zu beiden Seiten herunterhängen, absingen. Weder die Diakonissin noch die Frauengestalt ist zu sehen.

Die Gäste, die jetzt kommen sein,
Das sind die lieben Engelein,
Schlaf, Kindchen, schlaf!

HANNELE *öffnet die Augen, starrt verzückt die Engelsgestalten an und sagt erstaunt:* Engel! *Mit wachsendem Erstaunen, hervorbrechender Freude, aber noch nicht zweifelsfrei:* Engel!! *Im Jubelüberschwang:* Engel!!! *Kleine Pause.*

Die Engel sprechen nun, nacheinander, folgendes zur Musik:

ERSTER ENGEL:

> Auf jenen Hügeln die Sonne,
> Sie hat dir ihr Gold nicht gegeben;
> Das wehende Grün in den Tälern,
> Es hat sich für dich nicht gebreitet.

ZWEITER ENGEL:

> Das goldene Brot auf den Äckern,
> Dir wollt es den Hunger nicht stillen;
> Die Milch der weidenden Rinder,
> Dir schäumte sie nicht in den Krug.

DRITTER ENGEL:

> Die Blumen und Blüten der Erde,
> Gesogen voll Duft und voll Süße,
> Voll Purpur und himmlischer Bläue,
> Dir säumten sie nicht deinen Weg.
> *Kleine Pause.*

ERSTER ENGEL:

> Wir bringen ein erstes Grüßen
> Durch Finsternisse getragen;
> Wir haben auf unsern Federn
> Ein erstes Hauchen von Glück.

ZWEITER ENGEL:

> Wir führen am Saum unsrer Kleider
> Ein erstes Duften des Frühlings;

Es blühet von unsern Lippen
Die erste Röte des Tags.

DRITTER ENGEL:

Es leuchtet von unsern Füßen
Der grüne Schein unsrer Heimat;
Es blitzen im Grund unsrer Augen
Die Zinnen der ewigen Stadt.

Der Vorhang fällt.

ZWEITER AKT

Es ist alles wie vor der Engelserscheinung: die Diakonissin sitzt neben dem Bett, darin Hannele liegt. Sie zündet das Licht wieder an, und Hannele schlägt die Augen auf. Das innere Gesicht scheint noch vorhanden zu sein. Ihre Mienen haben noch den Ausdruck himmlischer Überseligkeit. Sobald sie die Schwester erkannt hat, beginnt sie in freudiger Überstürzung zu reden.

HANNELE: Schwester! Engel! Schwester Martha, Engel! – Weißt du, wer hier war?

SCHWESTER MARTHA: Hm. Wachst du schon wieder!

HANNELE: Nu raten Sie doch! Nu? *Hervorbrechend:* Engel! Engel! Richtige Engel! Engel vom Himmel, Schwester Martha! Du weißt doch: Engel mit langen Flügeln.

SCHWESTER MARTHA: Nun, wenn du so schöne Träume gehabt hast…

HANNELE: Ach, ach! Da sagt sie, das soll ich geträumt haben. Was ist aber das hier? Sieh dirs doch an! *Sie tut, als ob sie eine Blume in der Hand hielte und sie ihr zeigte.*

SCHWESTER MARTHA: Was hast du denn da?

HANNELE: Nu sieh dirs doch an.

SCHWESTER MARTHA: Hm.

HANNELE: Hier, sieh doch!

SCHWESTER MARTHA: Aha!

HANNELE: So riech doch nur!

SCHWESTER MARTHA *tut, als ob sie an einer Blume röche:* Hm; schön.

HANNELE: Nicht doch so tief. Du zerbrichst mirs ja.

SCHWESTER MARTHA: Das tut mir ja leid. Was ist es denn eigentlich?

HANNELE: Nu, Himmelschlüssel, kennst du das nicht?

SCHWESTER MARTHA: Ach so!

HANNELE: Du bist doch..! So bring doch das Licht! Schnell, schnell!

SCHWESTER MARTHA, *indem sie mit dem Licht leuchtet:* Ach ja, jetzt seh ichs.

HANNELE: Gelt?

SCHWESTER MARTHA: Du sprichst aber wirklich viel zuviel. Wir müssen uns jetzt ganz stille verhalten, sonst ist der Herr Doktor böse auf uns. Er hat auch die Medizin geschickt. Die wollen wir auch getreulich einnehmen.

HANNELE: Ach, Schwester! Sie sorgen sich so um mich. Sie wissen ja gar nicht, was passiert ist. Nu? Nu? Da sagen Sie's doch, wenn Sie's wissen. Wer hat mir denn das gegeben? Nu? Das goldne Schlüsselchen? Wer denn? Na? Wohin paßt denn das goldne Schlüsselchen? Nu?

SCHWESTER MARTHA: Das erzählst du mir alles morgen früh. Dann hast du dich tüchtig ausgeruht, bist frisch und gesund…

HANNELE: Ich bin doch gesund. *Sie setzt sich auf und stellt die Füße auf den Boden.* Du siehst doch, daß ich gesund bin, Schwester!

SCHWESTER MARTHA: Aber Hannele! Nein, das mußt du nicht tun. Das darfst du nicht tun.

HANNELE *erhebt sich, wehrt die Schwester ab, tut einige Schritte:* Du sollst mich doch – lassen. Du sollst mich doch – lassen. Ich muß doch – fort. *Sie erschrickt und starrt auf einen Punkt.* Ach, himmlischer Heiland!

Man gewahrt einen Engel mit schwarzen Kleidern und Flügeln. Er ist groß, stark und schön und führt ein langes, geschlängeltes Schwert, dessen

Griff mit schwarzen Flören umwickelt ist. Schweigsam und ernst sitzt er in der Nähe des Ofens und blickt Hannele an, unverwandt und ruhig. Ein weißes, traumhaftes Licht füllt den Raum.

HANNELE: Wer bist du? *Keine Antwort.* Bist du ein Engel? *Keine Antwort.* Kommst du zu mir? *Keine Antwort.* Ich bin Hannele Mattern; kommst du zu mir? *Zunächst keine Antwort. Mit gefalteten Händen, andächtig und demütig hat Schwester Martha dagestanden. Nun begibt sie sich langsam hinaus.*

HANNELE: Hat Gott dir die Sprache von deiner Zunge genommen? *Keine Antwort.* Bist du von Gott? *Keine Antwort.* Bist du mir freundlich? Kommst du als Feind? *Keine Antwort.* Hast du ein Schwert in den Falten deines Kleides? *Keine Antwort.* Brr, mich friert. Schneidender Frost weht von deinen Flügeln. Kälte haucht von dir aus. *Keine Antwort.* Wer bist du? *Keine Antwort. Ein plötzliches Grauen übermannt sie. Mit einem Schrei wendet sie sich, als ob jemand hinter ihr wäre.* Mutterchen! Mutterchen! *Eine Gestalt in der Kleidung der Diakonissin, aber schöner und jugendlicher als diese, mit langen weißen Flügeln, kommt herein. Hannele, sich an die Gestalt drängend, ihre Hand erfassend:* Mutterchen! Mutterchen! Es ist jemand hier.

DIAKONISSIN: Wo?

HANNELE: Dort, dort.

DIAKONISSIN: Warum zitterst du so?

HANNELE: Ich fürchte mich.

DIAKONISSIN: Fürchte dich nicht, ich bin bei dir.

HANNELE: Meine Zähne schlagen vor Angst aufeinander. Ich kann mich nicht halten. Mir graut vor ihm.

DIAKONISSIN: Ängste dich nicht, er ist dein Freund.

HANNELE: Wer ist es, Mutter?

DIAKONISSIN: Kennst du ihn nicht?

HANNELE: Wer ist es?

DIAKONISSIN: Der Tod.

HANNELE: Der Tod. *Hannele sieht eine Weile den schwarzen Engel stumm und ehrfurchtsvoll an.* Muß es denn sein?

DIAKONISSIN: Es ist der Eingang, Hannele.

HANNELE: Muß jeder durch den Eingang?

DIAKONISSIN: Jeder.

HANNELE: Wirst du mich hart anfassen, Tod? – Er schweigt. Auf alles, was ich sage, schweigt er, Mutter!

DIAKONISSIN: Die Worte Gottes sind in deinem Herzen laut.

HANNELE: Ich habe dich von Herzen oft ersehnt. Nun bangt mir immer.

DIAKONISSIN: Mache dich bereit.

HANNELE: Zum Sterben?

DIAKONISSIN: Ja.

HANNELE *nach einer Pause, schüchtern:* Soll ich zerrissen und zerlumpt im Sarge liegen?

DIAKONISSIN: Gott wird dich kleiden. *Sie zieht eine kleine silberne Schelle hervor und läutet damit. Sogleich kommt, wie alle folgenden Gestalten, lautlos auftretend, ein kleiner, buckliger Dorfschneider herein, der Brautkleid, Schleier und Kranz über dem Arm trägt und in den Händen ein Paar gläserne Pantoffeln. Er hat einen wippenden, komischen Gang, verneigt sich stumm vor dem Engel, vor der Diakonissin und zuletzt am tiefsten vor Hannele.*

DORFSCHNEIDER *immer mit Verbeugungen:* Jungfrau Johanna Katharina Mattern. *Er räuspert sich.* Der Herr Vater, Seine Durchlaucht der Herr Graf, haben geruht, bei mir Brautkleider zu bestellen.

DIAKONISSIN *nimmt dem Schneider den Rock ab und bekleidet Hannele:* Komm, ich ziehe dirs über, Hannele.

HANNELE *freudig erregt:* Ach, wie das knistert!

DIAKONISSIN: Weiße Seide, Hannele.

HANNELE *sieht entzückt an sich hinunter:* Die Leute werden staunen, wie ich schön geputzt im Sarge liege.

DORFSCHNEIDER: Jungfrau Johanna Katharina Mattern. *Er räuspert sich*. Das ganze Dorf ist voll davon. *Er räuspert sich*. Was Ihr im Tode für ein großes Glück macht, Jungfer Hanna! *Er räuspert sich*. Euer Herr Vater. *Er räuspert sich*. Der durchlauchtige Herr Graf – *Räuspern* – ist beim Herrn Ortsvorsteher gewesen...

DIAKONISSIN *setzt Hannele den Kranz auf:* Nun neige deinen Kopf, du Himmelsbraut!

HANNELE *vor kindlicher Freude bebend:* Weißt du was, Schwester Martha, ich freu mich auf den Tod... *Plötzlich an der Schwester zweifelnd:* Du bist es doch?

DIAKONISSIN: Ja.

HANNELE: Du bist doch Schwester Martha? Ach, nein doch: meine Mutter bist du doch?

DIAKONISSIN: Ja.

HANNELE: Bist du beides?

DIAKONISSIN: Die Kinder des Himmels sind eins in Gott.

DORFSCHNEIDER: Wenns nun erlaubt wäre, Prinzessin Hannele. *Mit den Pantoffeln vor ihr niederknieend:* Es sind die kleinsten Schühchen im Reich. Sie haben alle zu große Füße: die Hedwig, die Agnes, die Liese, die Martha, die Minna, die Anna, die Käte, die Grete. *Er hat ihr die Pantoffeln angezogen.* Sie passen, sie passen! Die Braut ist gefunden. Jungfer Hannele hat die kleinsten Füße. – Wenn Sie wieder was brauchen! Ihr Diener, Ihr Diener! *Komplimentierend ab.*

HANNELE: Ich kann es kaum erwarten, Mutterchen.

DIAKONISSIN: Nun brauchst du keine Medizin mehr einzunehmen.

HANNELE: Nein.

DIAKONISSIN: Nun wirst du bald gesünder sein wie eine Bachforelle, Hannele.

HANNELE: Ja.

DIAKONISSIN: Nun komm und leg dich auf dein Sterbelager.

Sie faßt Hannele bei der Hand, führt sie sanft an das Bett, und Hannele legt sich darauf nieder.

HANNELE: Nun werd ich endlich doch erfahren, was das Sterben ist.

DIAKONISSIN: Das wirst du, Hannele!

HANNELE *auf dem Rücken liegend, die Hände wie um ein Blümchen gefaltet:* Ich hab ein Pfand.

DIAKONISSIN: Das drücke fest an deine Brust.

HANNELE *mit neu beginnender Angst, schüchtern nach dem Engel hinüber:* Muß es denn sein?

DIAKONISSIN: Es muß.

Aus weiter Ferne hört man die Töne eines Trauermarsches.

HANNELE *horchend:* Jetzt blasen sie zu Grabe. Meister Seyfried und die Musikanten. *Der Engel erhebt sich.* Jetzt steht er auf. *Der Sturm draußen hat zugenommen. Der Engel ist aufgestanden und schreitet ernst und langsam Hannele näher.* Jetzt kommt er auf mich zu. Ach, Schwester, Mutter! Ich sehe dich ja nicht mehr. Wo bist du denn? *Zu dem Engel flehentlich:* Machs kurz, du schwarzer, stummer Geist! *Wie unter einem Alp ächzend:* Es drückt mich, drückt mich – wie ein – wie ein Stein. *Der Engel erhebt langsam sein breites Schwert.* Er will mich – will mich – ganz vernichten. *In höchster Angst:* Hilf mir, Schwester!

DIAKONISSIN *tritt zwischen den Engel und Hannele mit Hoheit und legt ihre beiden Hände schützend auf Hanneles Herz. Mit Größe, Kraft und Weihe spricht sie:* Er darf es nicht. – Ich lege meine beiden geweihten Hände dir aufs Herz. *Der schwarze Engel verschwindet. Stille. Die Diakonissin faltet die Hände und blickt milde lächelnd auf Hannele herunter, dann versinkt sie in sich und bewegt die Lippen, lautlos betend. Die Klänge des Trauermarsches haben inzwischen nicht ausgesetzt. Ein Geräusch von vielen vorsichtig trappelnden Füßen wird vernehmlich. Gleich*

darauf erscheint die Gestalt des Lehrers Gottwald in der Mitteltür: Der
Trauermarsch verstummt. Gottwald ist schwarz wie zu einem Begräbnis
gekleidet und trägt einen Strauß schöner Glockenblumen in der Hand. Ehr-
fürchtig hat er den Zylinder abgenommen und wendet sich, kaum eingetreten,
mit einer Ruhe heischenden Gebärde rückwärts. Man gewahrt hinter ihm
seine Schulkinder: Knaben und Mädchen in ihren besten Kleidern. Auf die
Gebärde des Lehrers hin unterbrechen sie ihr Geflüster und verhalten sich
ganz still. Sie wagen sich auch nicht über die Türschwelle. Gottwald nähert
sich jetzt mit feierlicher Miene der noch immer betenden Diakonissin.

GOTTWALD *mit leiser Stimme:* Guten Tag, Schwester Martha!

DIAKONISSIN: Herr Gottwald! Gott grüße Sie!

GOTTWALD *schüttelt, auf Hannele blickend, in schmerzlichem Bedauern den*
Kopf: Armes Dingelchen!

DIAKONISSIN: Warum sind Sie denn so traurig, Herr Gottwald?

GOTTWALD: Weil sie nun doch gestorben ist.

DIAKONISSIN: Darüber wollen wir nicht traurig sein; sie hat den
Frieden, und den Frieden gönne ich ihr.

GOTTWALD *seufzend:* Ja, ihr ist wohl. Von Trübsal und von Kum-
mer ist sie nun befreit.

DIAKONISSIN *in den Anblick versunken:* Schön liegt sie da.

GOTTWALD: Ja, schön, – jetzt, nun du tot bist, blühst du erst so
lieblich auf.

DIAKONISSIN: Weil sie so fromm war, hat sie Gott so schön gemacht.

GOTTWALD: Ja, sie war fromm und gut. *Seufzt schwer, klappt sein*
Gesangbuch auf und blickt trüb hinein.

DIAKONISSIN *blickt mit in das Gesangbuch:* Man soll nicht klagen.
Still geduldig muß man sein.

GOTTWALD: Ach, mir ist schwer.

DIAKONISSIN: Weil sie erlöst ist?

GOTTWALD: Weil mir zwei Blumen verwelkt sind.

DIAKONISSIN: Wo?

GOTTWALD: Zwei Veilchen, die ich hier im Buche habe. Das sind die toten Augen meines lieben Hannele.

DIAKONISSIN: In Gottes Himmel werden sie viel schöner auferblühn.

GOTTWALD: Ach Gott, wie lange werden wir noch weiter pilgern müssen durch das finstere Erdenjammertal! *Plötzlich verändert, geschäftig und geschäftlich, Noten hervorziehend:* Was meinen Sie? Ich habe mir gedacht, wir singen hier im Hause erst den Choral ›Jesus, meine Zuversicht‹.

DIAKONISSIN: Ja, das ist ein schöner Choral, und Hannele Mattern war ein gläubiges Kind.

GOTTWALD: Und draußen auf dem Kirchhof singen wir dann ›Laßt mich gehen‹. *Er wendet sich, geht auf die Schulkinder zu und spricht:* Nummer 62: ›Laßt mich gehen‹. *Er intoniert, leise taktierend:* Laßt mich gehen, laßt mich gehen, daß ich Jesum möge sehen. *Die Kinder haben leise mitgesungen.* Kinderchen, seid ihr auch alle warm angezogen? Draußen auf dem Kirchhof wird es sehr kalt sein. Kommt mal rein. Seht euch das arme Hannele noch einmal an. *Die Schulkinder strömen herein und stellen sich feierlich um das Bett.* Seht mal, wie der Tod das liebe kleine Mädchen schön gemacht hat! Mit Lumpen war sie behangen – jetzt hat sie seidne Kleider an. Barfuß ist sie herumgelaufen, jetzt hat sie Schuhe von Glas an den Füßen. Die wird jetzt bald in einem goldnen Schlosse wohnen und alle Tage gebratenes Fleisch essen. – Hier hat sie von kalten Kartoffeln gelebt – und wenn sie nur immer satt davon gehabt hätte! Hier habt ihr sie immer die Lumpenprinzessin geheißen, jetzt wird sie bald eine richtige Prinzessin sein. Also wer ihr etwas abzubitten hat, der tue es jetzt, sonst sagt sie alles dem lieben Gott wieder, und dann geht es euch schlecht.

EIN KLEINER JUNGE *tritt ein wenig hervor:* Liebes Prinzeßchen Hannele, nimm mirs nicht übel und sags nicht dem lieben Gott, daß ich dich immer Lumpenprinzessin geheißen habe.

ALLE KINDER *durcheinander:* Es tut uns allen herzlich leid.

GOTTWALD: So, nun wird das arme Hannele euch schon vergeben. Geht nur jetzt ins Haus und wartet draußen auf mich.

DIAKONISSIN: Kommt, ich werde euch in das Hinterstübchen führen. Dort will ich euch sagen, was ihr tun müßt, wenn ihr auch solche schöne Engel werden wollt, wie das Hannele bald eins sein wird. *Sie geht voraus, die Kinder folgen ihr; die Tür wird angelegt.*

GOTTWALD *nun allein bei Hannele. Er legt ihr gerührt die Blumen zu Füßen:* Mein liebes Hannele, hier habe ich dir noch einen Strauß schöner Glockenblumen mitgebracht. *An ihrem Bett knieend, mit zitternder Stimme:* Vergiß mich nicht ganz und gar in deiner Herrlichkeit. *Er schluchzt, die Stirn in die Falten ihres Kleides gedrückt.* Das Herz will mir zerbrechen, weil ich von dir scheiden muß. *Man hört sprechen; Gottwald erhebt sich, deckt ein Tuch über Hannele. Zwei ältere Frauen, wie zu einem Begräbnis gekleidet, Taschentuch und Gesangbuch mit gelbem Schnitt in der Hand, huschen herein.*

ERSTE FRAU *sich umsehend:* Mir sein woll die erschten?

ZWEITE FRAU: Nee, der Herr Lehrer is ja schonn da. Guten Tag, Herr Lehrer!

GOTTWALD: Guten Tag.

ERSTE FRAU: Es geht Ihn woll nahe, Herr Lehrer? Das war Ihn auch wirklich ein zu gutes Kind. Immer fleißig, immer fleißig.

ZWEITE FRAU: Is 's denn wahr, die Leute sprechen... 's is woll nicht wahr? Se hätte sich selber 's Leben genommen?

DRITTE GESTALT *ist dazu gekommen:* Das wär eine Sinde wider a Geist.

ZWEITE FRAU: Eine Sinde wider den Heiligen Geist.

DRITTE FRAU: Eine solche Sinde, sagt der Herr Paster, wird nie nich vergeben.

GOTTWALD: Wißt ihr denn nicht, was der Heiland gesagt hat? Lasset die Kindlein zu mir kommen.

VIERTE FRAU *ist gekommen:* Ihr Leute, ihr Leute, is das a Wetter. Da wird man sich woll die Fieße erfrieren. Wenn ock der Pfarr und machts nich zu lang. Der Schnee liegt an' Meter hoch uffn Kirchhowe.

FÜNFTE FRAU *kommt:* Ihr Leute, der Pfarr will se nich einsegnen. A will 'r de geweihte Erde verweigern.

PLESCHKE: Habt ihrsch geheert – habt ihrsch geheert? A scheener Herr ist beim Pfarr gewesen – und hat gesagt, ja – das Mattern-Hannla ist eine Hei–li–ge.

HANKE *eilig herein:* Se bringen an' gläsernen Sarg getragen.

VERSCHIEDENE STIMMEN: An' gläsernen Sarg! An' gläsernen Sarg!

HANKE: O Jes's! – Der mag a paar Talerle kosten.

VERSCHIEDENE STIMMEN: An' gläsernen Sarg! An' gläsernen Sarg!

SEIDEL: Hier wern wir noch scheene Dinge erleben. A Engel is mitten durchs Dorf gegangen. Aso groß wie a Pappelbaum, kennt 'r glooben. Am Schmiedeteiche sitzen ooch zwee. Die sein aber kleen wie kleene Kinder. Das Mädel is mehr wie a Bettelmädel.

VERSCHIEDENE STIMMEN: Das Mädel is mehr wie a Bettelmädel. – Se bringen an' gläsernen Sarg getragen. – A Engel is mitten durchs Dorf gegangen. *Vier weiß gekleidete Jünglinge bringen einen gläsernen Sarg hereingetragen, den sie unweit von Hanneles Bett niedersetzen. Die Leidtragenden flüstern erstaunt und neugierig.*

GOTTWALD *nimmt das Tuch ein wenig auf, das Hannele bedeckt:* Da seht euch doch auch die Tote mal an.

ERSTE FRAU *neugierig darunterschielend:* Die hat ja Haare, die sind
ja von Golde.

GOTTWALD *das Tuch ganz von dem von blassem Licht überhauchten
Hannele hinwegziehend:* Und seidne Kleider und gläserne Schuhe.

ALLE *weichen mit Ausrufen äußersten Erstaunens wie geblendet zurück.*

VERSCHIEDENE STIMMEN: Ach, is die scheen! – Wer istn das? –
Das Mattern-Hannla? Das Mattern-Hannla? – Das gloob ich
nich.

PLESCHKE: Das Mädel – das Mädel – is eine – Heilige. *Die vier
Jünglinge legen Hannele mit sanfter Vorsicht in den gläsernen Sarg.*

HANKE: 's heeßt ja, se wird ieberhaupt nich begraben.

ERSTE FRAU: Se wird in der Kirche uffgestellt.

ZWEITE FRAU: Ich gloobe, das Mädel is gar nicht tot. Die sieht
ja wie 's liebe Leben aus.

PLESCHKE: Gebt amal – gebt amal – ane Flaumfeder her. Mer
wern 'r – mer wern 'r – ane Flaumfeder vor a Mund halten.
Ja. Und sehn, ja – ob se noch – Odem hat, ja. *Man gibt ihm eine
Flaumfeder, und er hält sie prüfend vor Hanneles Mund.* Sie bewegt
sich nicht. Das Mädel is tot. Die hat ooch nich mehr aso viel
Leben.

DRITTE FRAU: Ich geb 'r mein Sträußel Rosmarin. *Sie legt ein
Sträußchen in den Sarg.*

VIERTE FRAU: Mei Richel Lavendel kann se ooch mitnehmen.

FÜNFTE FRAU: Wo is denn Mattern?

ERSTE FRAU: Wo is denn Mattern?

ZWEITE FRAU: Ach der, der sitzt im Gasthause drieben.

ERSTE FRAU: Der weeß woll noch gar nich, was passiert is?

ZWEITE FRAU: Wenn der ock seinen Schnaps hat. Der weeß von
nischt.

PLESCHKE: Habt ihrsch'n – habt ihrsch'n, ja, denn nich – nich
gesagt, daß a eine – eine Leiche – im Hause hat?

45

DRITTE FRAU: Das sollte der woll von selber wissen.

VIERTE FRAU: Ich will nischt gesagt habn, nee, nee, beileibe! Aber wer das Mädel hat ums Leben gebracht, das weeß man woll etwan.

SEIDEL: Das will ich meenen, das weeß, mecht man sprechen, 's ganze Dorf. Die hat eine Beule wie meine Faust.

FÜNFTE FRAU: Wo der Kerl hintritt, da wächst kee Gras.

SEIDEL: Mer habn se doch umgezogen mitsammen. Da hab ichs doch ganz genau gesehn. Die hat eine Beule wie meine Faust. Und dadran is se zugrunde gegangen.

ERSTE FRAU: Die hat kein andrer auf dem Gewissen wie Mattern.

ALLE *mit Heftigkeit, aber im Flüsterton durcheinander sprechend:* Kee andrer Mensch.

ZWEITE FRAU: Ein Mörder ist das.

ALLE *voll Wut, aber geheimnisvoll:* A Mörder, a Mörder.

Man hört die grölende Stimme des angetrunkenen Maurers Mattern.

STIMME MATTERNS: Ein ruhi–ges Ge–wissen – ist ein sanf–tes Ruh–e–kiss–en. *Er erscheint in der Tür und schreit:* Mädel! Mädel! Balg! Wo steckst du? *Er lümmelt sich am Türpfosten herum.* Bis finfe zähl ich – aso lange – wart ich. Länger nich: eens – zwee – drei und eens macht – Mädel, mach mich nich wilde, sag ich dir bloß. Wenn ich dich suche und find dich, Karnallie, ich tu dich zermantschen. *Stutzt, gewahrt die Anwesenden, welche sich totenstill verhalten.* Was wollt ihr dahier? *Keine Antwort.* Wie kommt ihr hierher? – Euch schickt woll der Teifel, hä? – Macht, daß dr naus kommt. – Na, wirds nu bald werden? *Er lacht in sich hinein.* Da wart mer a bissel. Die Fahrten kenn ich doch. Das is weiter nischt. Ich hab halt a bissel viel im Koppe. Da machts een' was vor. *Er singt.* Ein ruhi–ges Ge–wissen – ist ein sanf–tes Ruh–e– kiss–en. *Erschrickt.* Seid ihr immer noch da? *Plötzlich in jähzorniger*

Wut nach etwas zum Dreinschlagen suchend: Ich nehm, was ich finde...

Ein Mann in einem braunen, abgetragenen Havelock ist eingetreten. Er ist etwa dreißig Jahre alt, hat langes schwarzes Haar und ein blasses Gesicht mit den Zügen des Lehrers Gottwald. Er hat einen Schlapphut in der linken Hand und Sandalen an den Füßen. Er erscheint wegmüde und staubig. Die Worte des Maurers unterbrechend, hat er ihm mit der Hand sanft den Arm berührt. Mattern fährt jäh herum.

DER FREMDE *sieht ihm ernst und voller Ruhe ins Gesicht und sagt demütig:* Mattern, Maurer – Gott grüße dich!

MATTERN: Wie kommst du hierher? Was willst du hier?

DER FREMDE *demütig bittend:* Ich hab mir die Füße blutig gelaufen; gib mir Wasser, sie zu waschen. Die heiße Sonne hat mich ausgedörrt; gib mir Wein zu trinken, daß ich mich erfrische. Ich habe kein Brot gegessen, seit ich auszog am Morgen. Mich hungert.

MATTERN: Was geht mich das an! Wer heißt dich rumlungern uff der Landstraße? Da arbeite du. Ich muß ooch arbeiten.

DER FREMDE: Ich bin ein Arbeiter.

MATTERN: A Landstreicher bist du. Wer arbeitet, der brauch nich betteln zu gehn.

DER FREMDE: Ich bin ein Arbeiter ohne Lohn.

MATTERN: A Landstreicher bist du.

DER FREMDE *zaghaft, unterwürfig, dabei aber eindringlich:* Ich bin ein Arzt, du kannst mich vielleicht brauchen.

MATTERN: Ich bin nich krank, ich brauche keenen Dokter.

DER FREMDE *mit vor innerer Bewegung zitternder Stimme:* Mattern-Maurer, besinne dich! Du brauchst mir kein Wasser zu reichen, und ich will dich doch heilen. Du brauchst mir kein Brot zu essen zu geben, und ich will dich dennoch gesund machen, so wahr mir Gott helfe.

47

MATTERN: Mach, daß du fortkommst! Geh deiner Wege! Ich habe gesunde Knochen im Leibe. Ich brauche keenen Dokter! Haste verstanden?

DER FREMDE: Maurer Mattern, besinne dich! – Ich will dir die Füße waschen. Ich will dir Wein zu trinken geben. Du sollst süßes Brot essen. Setze deinen Fuß auf meinen Scheitel, und ich will dich dennoch heil und gesund machen, so wahr mir Gott helfe.

MATTERN: Nu will ich bloß sehn, ob du woll gehn wirscht. Und wenn de nich naus findst, da sag ich aso viel...

DER FREMDE *ernst ermahnend:* Mattern-Maurer, weißt du, was du im Hause hast?

MATTERN: Alles, was rein geheert. Alles, was rein geheert. Du geheerscht nich rein. Sieh, daß du weiter kommst!

DER FREMDE *einfach:* Deine Tochter ist krank.

MATTERN: Zu der ihrer Krankheet brauchts keenen Dokter. Der ihre Krankheit is nischt wie Faulheet. Die wer ich ihr schonn alleene austreiben.

DER FREMDE *feierlich:* Mattern-Maurer, ich komme zu dir als Bote.

MATTERN: Von wem werscht du ock als Bote kommen?

DER FREMDE: Ich komme vom Vater – und ich gehe zum Vater. Wo hast du sein Kind?

MATTERN: Was wer ich wissen, wo die sich rumtreibt! Was gehn mich dem seine Kinder an! A hat sich ja sonst nich drum bekimmert.

DER FREMDE *fest:* Du hast eine Leiche in deinem Hause.

MATTERN *gewahrt das daliegende Hannele, tritt steif und stumm an den Sarg und blickt hinein, dabei murmelnd:* Wo hast du die scheenen Kleider her? Wer hat dir den gläsernen Sarg gekooft?

Die Leidtragenden flüstern heftig und geheimnisvoll. Man hört mehrmals, voller Erbitterung ausgesprochen, das Wort Mörder.

MATTERN *leise, bebend:* Ich hab dich doch nie nich schlecht behandelt. Ich hab dich gekleedet. Ich hab dich genährt. *Frech zu dem Fremden hinüber:* Was willst du von mir? Was geht mich das an?

DER FREMDE: Mattern-Maurer, hast du mir etwas zu sagen?

Unter den Leidtragenden wird das Geflüster heftiger, immer wütender und öfter schallt es: Mörder! – Mörder!

DER FREMDE: Hast du dir gar nichts vorzuwerfen? Hast du sie niemals nachts aus dem Schlafe gerissen? Ist sie niemals unter deinen Fäusten wie tot zusammengesunken?

MATTERN *entsetzt, außer sich:* Da schlag mich tot. Hier, gleich uff der Stelle! – Mich soll gleich a Blitz vom Himmel treffen, wenn ich dadran schuld bin!

Schwacher, bläulicher Blitz und fernes Donnerrollen.

ALLE *durcheinander:* 's kommt a Gewitter. Jetzt mitten im Winter! A hat sich verschworen! Der Kindesmörder hat sich verschworen!

DER FREMDE *eindringlich, gütig:* Hast du mir noch nichts zu sagen, Mattern?

MATTERN *in erbärmlicher Angst:* Wer sein Kind lieb hat, züchtigt es. Dem Mädel hier hab ich nur Gutes getan. Ich hab se gehalten wie mei Kind. Ich kann se bestrafen, wenn se nich gutt tut.

DIE FRAUEN *fahren auf ihn ein:* Mörder! Mörder! Mörder! Mörder!

MATTERN: Die hat mich belogen und betrogen. Die hat mich bestohlen Tag für Tag.

DER FREMDE: Sprichst du die Wahrheit?

MATTERN: Gott soll mich strafen…

In diesem Augenblick zeigt sich in Hanneles gefalteten Händen eine Himmelschlüsselblume, welche eine gelblichgrüne Glut ausstrahlt. Der Maurer Mattern starrt wie von Sinnen, am ganzen Leibe zitternd, auf die Erscheinung.

DER FREMDE: Mattern-Maurer, du lügst.

ALLE *in höchster Aufregung durcheinander redend:* Ein Wunder! – Ein
Wunder!

PLESCHKE: Das Mädel – das Mädel – is eine – Heilige; a hat sich
– um Leib und Seele – Seele geschworen.

MATTERN *brüllt:* Ich häng mich u–uf. *Hält sich mit beiden Händen die
Schläfen. Ab.*

DER FREMDE *schreitet bis an Hanneles Sarg vor und spricht, zu den Anwesenden gewendet; vor der nun mit aller Hoheit dastehenden und spre-
chenden Gestalt weichen sie alle ehrfürchtig zurück:* Fürchtet euch nicht.
*Er beugt sich und erfaßt wie prüfend Hanneles Hand; voll Sanftmut spricht
er:* Das Mägdlein ist nicht gestorben. – Es schläft. *Mit tiefster Inner-
lichkeit und überzeugender Kraft:* Johanna Mattern, stehe auf!!! *Ein
helles Goldgrün erfüllt den Raum. Hannele öffnet die Augen, richtet sich
auf an der Hand des Fremden, ohne aber zu wagen, ihm ins Gesicht zu
sehen. Sie steigt aus dem Sarge und sinkt sogleich vor dem Erwecker auf
die Knie. Alle Anwesenden packt ein Grauen. Sie fliehen. Der Fremde
und Hannele bleiben allein. Der graue Mantel ist von seiner Schulter ge-
glitten, und er steht da in einem weißgoldenen Gewande.*

DER FREMDE *weich, innig:* Hannele.

HANNELE, *entzückt in sich, den Kopf so tief beugend, als nur immer möglich:*
Da ist er.

DER FREMDE: Wer bin ich?

HANNELE: Du.

DER FREMDE: Nenn meinen Namen.

HANNELE *haucht ehrfurchtzitternd:* Heilig, heilig!

DER FREMDE: Ich weiß alle deine Leiden und Schmerzen.

HANNELE: Du lieber, lieber…

DER FREMDE: Erhebe dich.

HANNELE: Dein Kleid ist makellos. Ich bin voll Schmach.

DER FREMDE *legt seine Rechte auf Hanneles Scheitel:* So nehm ich alle
Niedrigkeit von dir. *Er berührt ihre Augen, nachdem er mit sanfter*

Gewalt ihr Gesicht heraufgebogen: So beschenke ich deine Augen mit ewigem Licht. Fasset in euch Sonnen und wieder Sonnen. Fasset in euch den ewigen Tag vom Morgenrot bis zum Abendrot, vom Abendrot bis zum Morgenrot. Fasset in euch, was da leuchtet: blaues Meer, blauen Himmel und grüne Fluren in Ewigkeit. *Er berührt ihr Ohr.* So beschenk ich dein Ohr, zu hören allen Jubel aller Millionen Engel in den Millionen Himmeln Gottes. *Er berührt ihren Mund.* So löse ich deine stammelnde Zunge und lege deine Seele darauf und meine Seele und die Seele Gottes des Allerhöchsten.

HANNELE, *am ganzen Körper bebend, versucht sich aufzurichten. Wie unter einer ungeheuren Wonnelast vermag sie es nicht. Von tiefem Schluchzen und Weinen erschüttert, birgt sie den Kopf an des Fremden Brust.*

DER FREMDE: Mit diesen Tränen wasche ich deine Seele von Staub und Qual der Welt. Ich will deinen Fuß über die Sterne Gottes erhöhen.

Zu sanfter Musik, mit der Hand über Hanneles Scheitel streichend, spricht nun der Fremde das Folgende. Indem er spricht, tauchen Engelsgestalten in der Tür auf, große, kleine, Knaben, Mädchen, stehen schüchtern, wagen sich herein, schwingen Weihrauchfässer und schmücken das Gemach mit Teppichen und Blumen.

DER FREMDE:

Die Seligkeit ist eine wunderschöne Stadt,
Wo Friede und Freude kein Ende mehr hat.

Harfen, erst leise, zuletzt laut und voll.

Ihre Häuser sind Marmel, ihre Dächer sind Gold,
Roter Wein in den silbernen Brünnlein rollt,
Auf den weißen, weißen Straßen sind Blumen gestreut,
Von den Türmen klingt ewiges Hochzeitsgeläut.
Maigrün sind die Zinnen, vom Frühlicht beglänzt,
Von Faltern umtaumelt, mit Rosen bekränzt.

Zwölf milchweiße Schwäne umkreisen sie weit
Und bauschen ihr klingendes Federkleid;
Kühn fahren sie hoch durch die blühende Luft,
Durch erzklangdurchzitterten Himmelsduft.

Sie kreisen in feierlich ewigem Zug,
Ihre Schwingen ertönen gleich Harfen im Flug,
Sie blicken auf Zion, auf Gärten und Meer,
Grüne Flöre ziehen sie hinter sich her.

Dort unten wandeln sie Hand in Hand,
Die festlichen Menschen, durchs himmlische Land.

Das weite, weite Meer füllt rot roter Wein,
Sie tauchen mit strahlenden Leibern hinein.

Sie tauchen hinein in den Schaum und den Glanz,
Der klare Purpur verschüttet sie ganz,
Und steigen sie jauchzend hervor aus der Flut,
So sind sie gewaschen durch Jesu Blut.

Der Fremde wendet sich nun an die Engel, welche ihre Arbeit vollendet
haben. Mit scheuer Freude und Glückseligkeit treten sie herzu und bilden
um Hannele und den Fremden einen Halbkreis.

Mit feinen Linnen kommt, ihr Himmelskinder!
Lieblinge, Turteltauben, kommt herzu,
Hüllt ein den schwachen, ausgezehrten Leib,
Den Frost geschüttelt, Fieberglut gedörrt,
Sanft, daß sein krankes Fleisch der Druck nicht schmerze;
Und weich hinschwebend, ohne Flügelschlag,
Tragt sie, der Wiesen saftge Halme streifend,
Durch linden Mondenschimmer liebreich hin…
Durch Duft und Blumendampf des Paradieses,
Bis Tempelkühle wonnig sie umschließt.

Kleine Pause.

Dort mischt, indes sie ruht auf seidnem Bette,

Im weißen Marmorbade Bergbachs Wasser
Und Purpurwein und Milch der Antilope,
In reiner Flut ihr Siechtum abzuspülen.
Brecht aus den Büschen volle Blütenzweige:
Jasmin und Flieder, schwer vom Tau der Nacht,
Und ihrer klaren Tropfen feuchte Bürde
Laßt frisch und duftig auf sie niederregnen.
Nehmt weiche Seide drauf, um Glied für Glied,
Wie Lilienblätter, schonend abzutrocknen.
Labt sie mit Wein, kredenzt in goldner Schale,
In den ihr reifer Früchte Fleisch gepreßt.
Erdbeeren, die noch warm vom Sonnenfeuer,
Himbeeren, voll von süßem Blut gesogen,
Die samtne Pfirsich, goldene Ananas,
Orangen, gelb und blank, bringt ihr getragen
Auf weiten Schüsseln spiegelnden Metalls.
Ihr Gaumen schwelge, und ihr Herz umfange
Des neuen Morgens Pracht und Überfülle.
Ihr Aug entzücke sich am Stolz der Hallen.
Laßt feuerfarbne Falter über ihr
Am malachitnen Grün des Estrichs schaukeln.
Auf ausgespanntem Atlas schreite sie
Durch Hyazinthen, Tulpen. Ihr zur Seite
Laßt grüner Palmen breite Fächer zittern
Und alles spiegeln sich im Glanz der Wände.
Auf Felder roten Mohns führt ihren armen Blick,
Wo Himmelskinder goldne Bälle werfen
Im frühen Strahl des neugebornen Lichts,
Und liebliche Musik schlingt ihr ums Herz.

DIE ENGEL *singen im Chor:*
Wir tragen dich hin, verschwiegen und weich.

Eia popeia, ins himmlische Reich,
Eia popeia, ins himmlische Reich.

Über dem Engelsgesang verdunkelt sich die Szene. Aus dem Dunkel heraus hört man schwächer und schwächer, ferner und ferner singen. Es wird nun wieder licht, und man hat den Blick in das Armenhauszimmer, wo alles so ist, wie es war, ehe die erste Erscheinung auftauchte. Hannele liegt wieder im Bett, ein armes, krankes Kind. Dr. Wachler hat sich mit dem Stethoskop über sie gebeugt; die Diakonissin, welche ihm das Licht hält, beobachtet ihn ängstlich. Nun erst schweigt der Gesang gänzlich.

DR. WACHLER, *sich aufrichtend, sagt:* Sie haben recht.

SCHWESTER MARTHA *fragt:* Tot?

DER DOKTOR *nickt trübe:* Tot.

Der Vorhang fällt.

———

Insel-Verlag Zweigstelle Wiesbaden
93. bis 102. Tausend: 1960
Gedruckt von Johannes Weisbecker
Frankfurt a. M.
Printed in Germany